MONSIEUR FÉE

MORGANE DE CADIER

FLORIAN PIGÉ

BALIVERNES

Toutes les Fées vivent dans la forêt, mais aucune ne se ressemble.

Il existe des Fées du Matin, des Fées du Courage, des Fées du Sommeil et même des Fées du Logis.

Et puis, il y a Monsieur Fée.

Monsieur Fée n'est pas comme la Fée du Matin.
Il ne se lève jamais assez tôt pour aller réveiller les animaux de la forêt.

Si bien que c'est toujours lui qu'on réveille en dernier, pile à l'heure pour le petit déjeuner.

Monsieur Fée n'est pas non plus
comme la Fée des Bisous, qui
du bout de sa baguette pique les
fesses des amoureux pour qu'ils
s'embrassent.

Chacun de ses gestes provoque
des fous rires à n'en plus finir.
Il chatouille les dessous-de-bras,
les petits bidons, parfois les pieds,
mais ne pique jamais les fesses…

Enfin, Monsieur Fée ne connaît rien aux bisous magiques. Il ne sait pas non plus faire apparaître de jolis pansements, comme la Fée des Bobos.

Ses coups de baguette ne guérissent pas les maux de tête... Ils changent les arbres en barbe à papa !

Le petit éléphant soupire :

– Je fais tout de travers… Je suis une Fée de rien du tout.

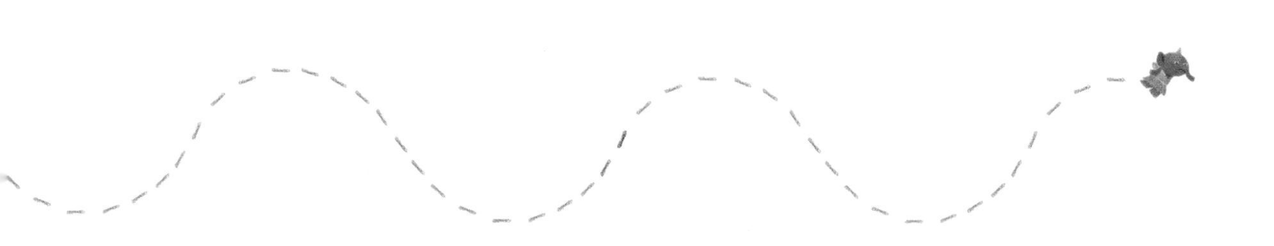

Au loin se dessine une forêt d'un autre genre.
Monsieur Fée n'y avait jamais fait attention…

Curieux, il bat des ailes dans sa direction.

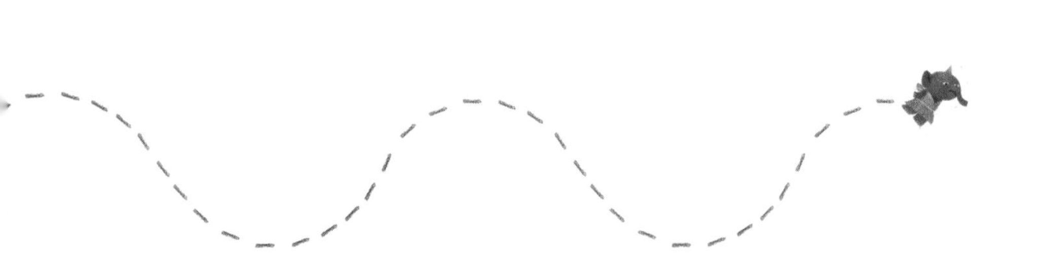

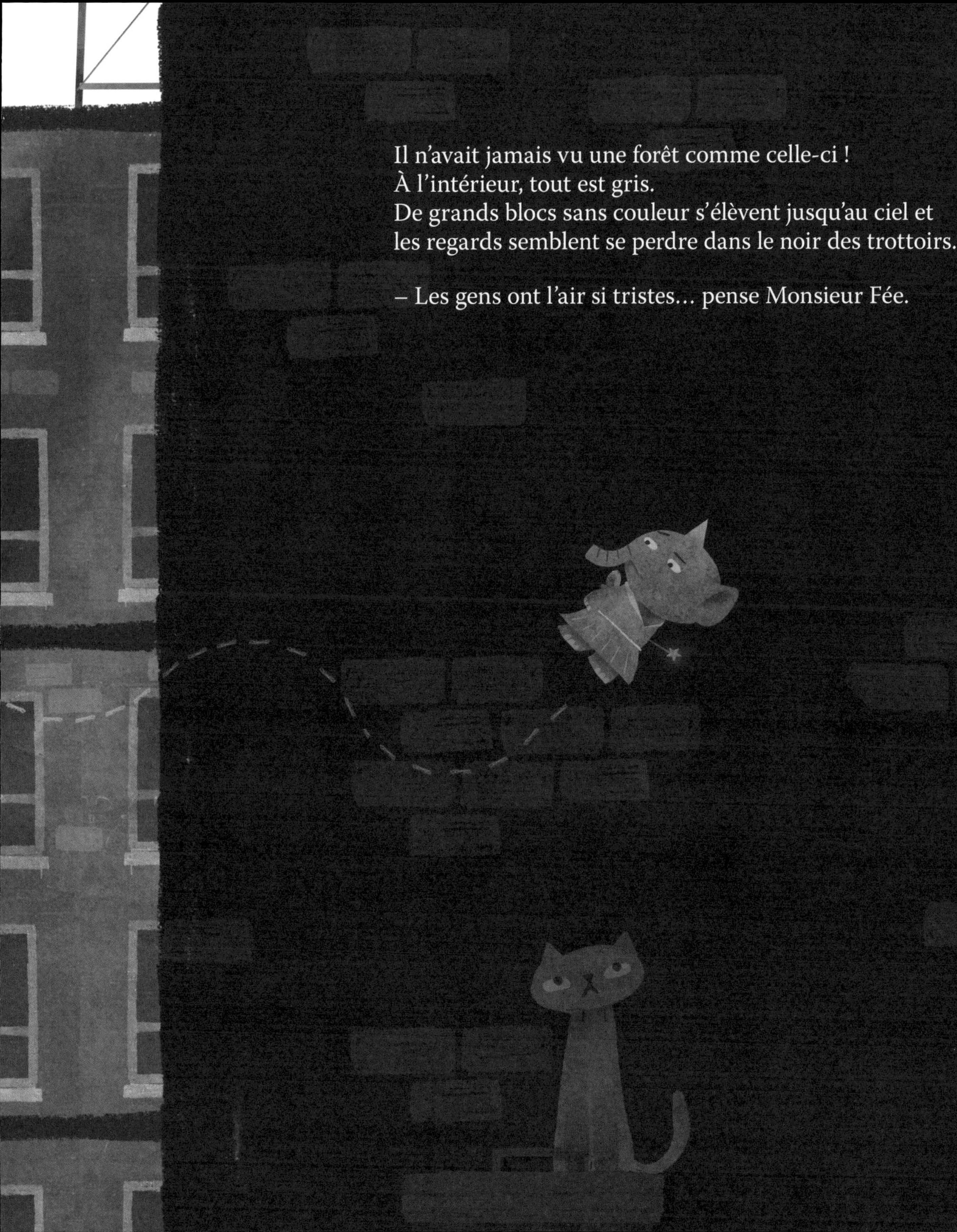

Il n’avait jamais vu une forêt comme celle-ci !
À l’intérieur, tout est gris.
De grands blocs sans couleur s’élèvent jusqu’au ciel et
les regards semblent se perdre dans le noir des trottoirs.

– Les gens ont l’air si tristes… pense Monsieur Fée.

Il se souvient alors des éclats de rire de ses amis, quand il accompagnait la Fée des Bisous. Comment faisait-il déjà ?

Timidement, il commence à agiter sa baguette. Mais comme Monsieur Fée ne fait jamais rien comme tout le monde, des taches de couleurs éclatent soudain sur les murs !
À chaque fois qu'il agite les bras, il éclabousse la rue de nuances jamais vues auparavant.

Petit à petit, les sourires se dessinent et les visages s'illuminent.

Satisfait, le petit éléphant continue son chemin.

Un peu plus loin, il aperçoit plusieurs habitants qui s'enfoncent sous terre, serrés les uns contre les autres.
– Les gens d'ici ne font décidément rien comme dans ma forêt. C'est comme si toutes les taupes se pressaient dans un seul terrier !

Il est si intrigué qu'il décide de les suivre.

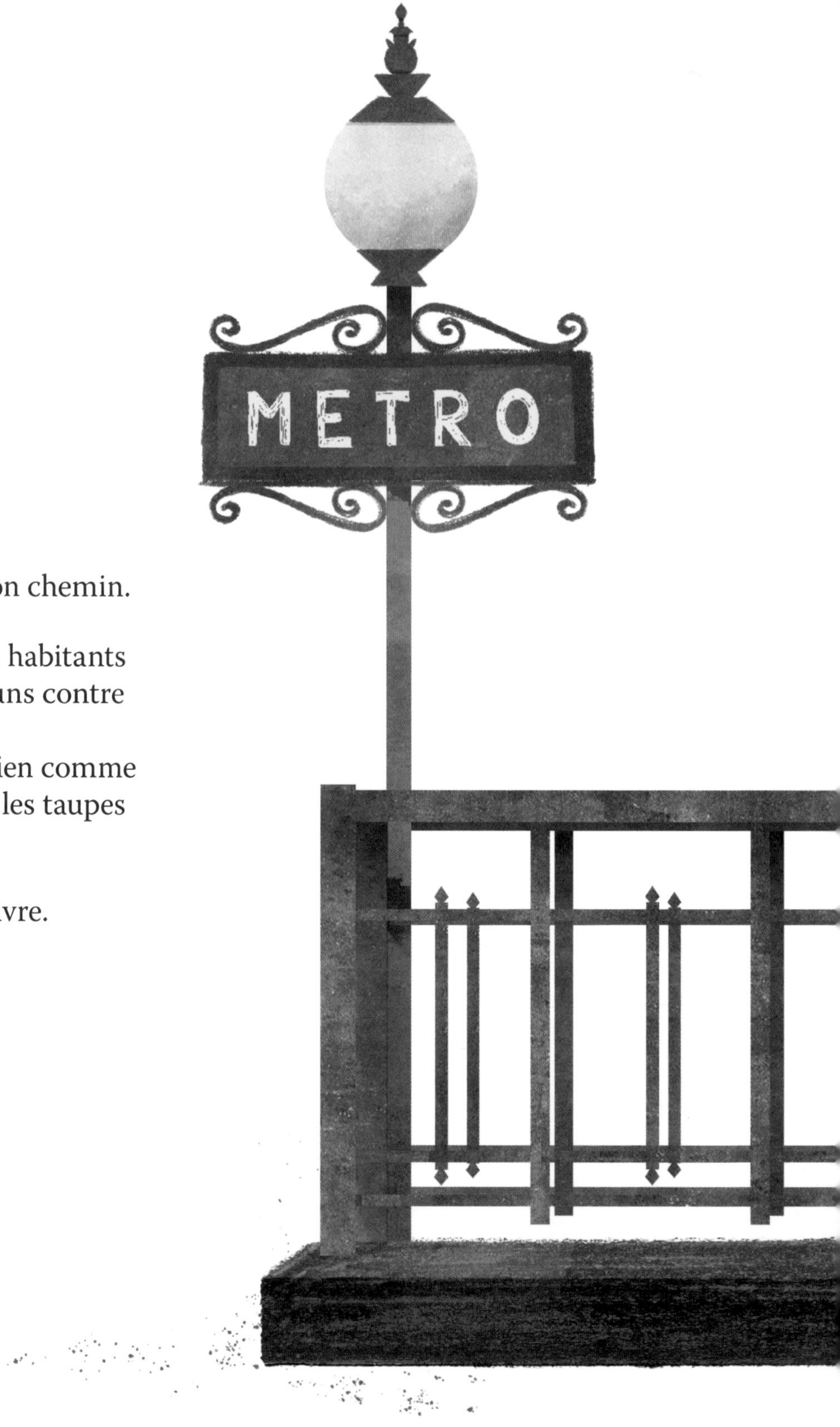

Monsieur Fée suit le mouvement. Il se glisse,
il se faufile, il bat des ailes contre les ventres et
sous les bras. Il chatouille tout sur son passage !

Bien vite, toute la rame se dandine de gauche
à droite en riant.
– Ça chatouille ! Ça chatouille !

Monsieur Fée remonte à la surface tout chamboulé et un peu ému par le sourire des passagers.

Mais à nouveau, face à lui, les gens semblent moroses.
– Comment pourrais-je bien les aider ? se demande-t-il.

– Oh ! Je sais !
Il agite sa baguette et tout à coup, les parasols se changent en immenses barbes à papa !

Devant l'air heureux des passants, une drôle de question traverse l'esprit du petit éléphant…

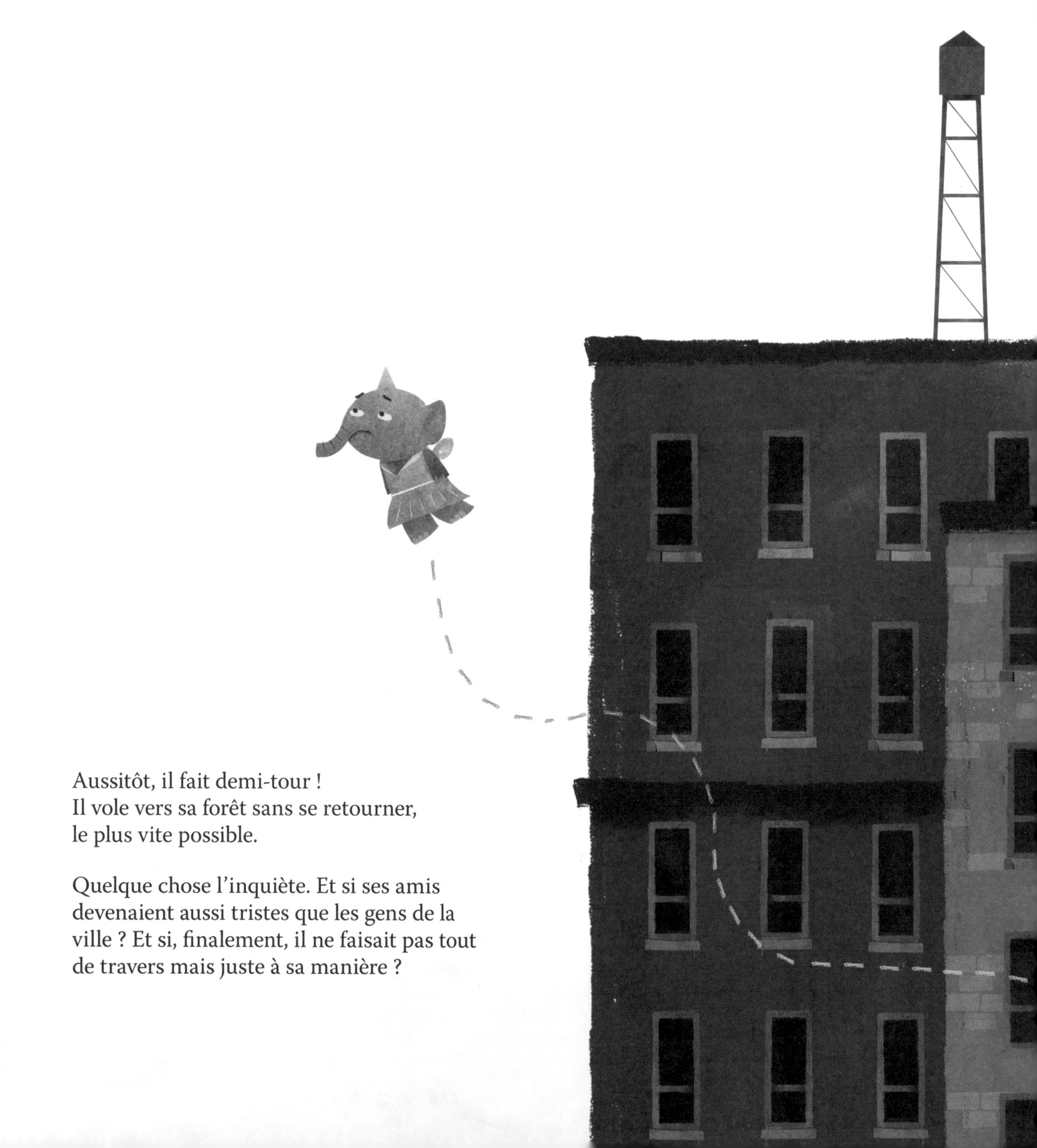

Aussitôt, il fait demi-tour !
Il vole vers sa forêt sans se retourner,
le plus vite possible.

Quelque chose l'inquiète. Et si ses amis
devenaient aussi tristes que les gens de la
ville ? Et si, finalement, il ne faisait pas tout
de travers mais juste à sa manière ?

Au pied des arbres, Monsieur Fée n'en croit pas ses yeux :
– Mais qu'est-il arrivé ? Où sont passées toutes les couleurs de la forêt ?

Il s'élance entre les branches en appelant :
– Hé oh ! Il y a quelqu'un ? Je suis revenu !

Bien vite, des formes se dessinent entre les arbres et l'interpellent :
– Monsieur Fée ! Monsieur Fée ! s'écrient tous ses amis.
– Nous sommes si contents de te revoir ! s'exclame le renard.
– Nous avons perdu le gout du rire… explique le cerf.
– Si tu savais ! lui disent les Fées. Nous avons tout essayé !
Mais nous sommes si mauvaises pour faire sourire les autres…

Alors, sans dire un mot, le petit éléphant agite sa baguette...

Ce que Monsieur fée ignorait, c'est qu'il est la plus indispensable des Fées.

On l'appelle maintenant la Fée des Sourires.

Fée des Sourires : n.f. Se dit d'une personne qui rend la vie plus agréable.